KB177993

꽃이 피는 시간

꽃다운 왈츠를 추었습니다
짙은 햇발은 나만을 반기는 듯합니다

차정은

목차

제 1장 꽃이 피는 시간

제 2장 꿈의 향기

제 3장 빛의 기록

제 1장 꽃이 피는 시간

매화 납치사건 1

그녀는 풀내음을 머금은
붉은 미소를 가지고 있었다

따스한 향을 띄우고
청춘을 왜곡시켰다

태양이 비추는 뜨거운 여름빛 아래 그녀와 나는 같은 세상에 남아 잔혹한 시간을 공유하며 꿈 속 그 어딘가 끝없는 사랑을 퍼나르기 시작했다

꽃비가 흐르는 아름다운 눈동자에 잠겨 열이 끓어오른 사랑을 집어드니 구멍이 속 조각들이 일렁이며 소리치었다

그녀는 이야기 속 풋내음이 인내하는 곳으로
마음껏 잡아 소리치었다

우리는 울음을 멈추지 않았고
붉게 흐르던 너의 눈물은 석류알처럼 빛이 났다

열의 상반성

무결함에 잠든 당신을 바라보며 나 또한 졸음에 잠겼습니다

사랑이라는 이름으로 그대를 꿈꾸고 삼키며
돌아오지 않는 새벽녘과 탄내 나는 그을림이 저 밑 어둠부터 저 높은 하늘까지 맞닿자 당신을 너무도 사랑했던 나는 결국 당신에게 멸망을 남기게 되었습니다

과꽃을 우린 수정과를 마시며 나눈 우리의 가벼운 대화 속에는 절망만이 담기고

낭만의 향을 우려내기 위하여 달리는 그 우월은
언제까지 빛이 날 수 있는 것인가요

금빛 황혼이 비추는 언덕에 발을 들여
노을의 색깔을 넘나들며
분칠을 이루어냅니다

그것이 정녕
사랑이라 이루어 말할 수 있을까요

밤길의 호수

여름은 빛이 나고 있었다

고상한 씨알과
침수

그 울창한 숲속 바다에서 너를 만났다

꽃비가 흘러내려
소음에 감겨버린 눈동자는
한참을
허우적 허우적댔다

열이 끓어올라 그 사랑을 뱉어내고
구덩이 속의 조각들은
일렁이는 소리를 뱉어내고

모서리 없는 사랑은
넘치고 넘쳐 빗발친다

그 시절 향의 추억
피어가는 이파리

허망한 구멍에 채워가는 물줄기
세월의 향기는 호수에 잠겨버리고
처량한 밑바닥이 벗겨진다

여름의 교차로,
애타는 눈빛과 폭죽의 기적
고뇌하며 지켜낸 소중한 사랑

시들어버린 계절은
뜨겁디 뜨거운 여름날의 시원한 부분
이질감이 들 만큼 푸르른 초원

조개껍데기 위 버려진 은색 빛의 서사
그리고 그것의 계산 없는 사랑

모든 것이 흐드러지게 피어나는 계절을 견뎌내면 괜찮아질 것이라

멸망

나의 한 켠
작은 개나리

종말이라기엔
쓰다듬었기에

업어주기엔
버거웠기에

틈새 속 작은 개나리를
나의 커다란
멸망이라 칭하였다

매화 납치사건 2

환상에 잠겨있던 어느 날
깊고
깊게
그 시간의 사이에서
나는 깊게 잠에 들었다

발걸음을 이 자리에 멈추게 하여
끝을 맺고

습한 여름 속 향기만이
뇌리에 스며들었다

채화

종이의 결을 따르는 꽃
꽃의 결을 따르는 모시

빛으로 물든 계절
짙은 가을만이 남는다

위태로운 숲의 풍경만을 사랑하고
푸른빛에 잠긴 순간만을 동경하고

그 시간만을 기도했다

삼박자

난민의 허기와 오늘과 영원의 진득한 공기가 가득한 숲
10월의 더위 중 유난히 열이 오른 어느 날

한여름을 지나칠 때 품었던
온기를 내보내고

세상 모든 음식을
쉬이게 만들고
열병을 내리고

습기 찬 낡은 호숫가에 남긴 허울 없는 사랑

모두가 죽은 날 남긴 모든 온도

서로에게 향한 낡은 사랑

호수에 담군 우리의 나날은
피어난 연기 속 가장 아름다운 계절이었다

홍차 도련님

요동치는 마음에 떨어트린 하늘 한 방울
매일의 내일을 위하여
맹신하고
맹신하는 도련님

수북이 쌓여가는 주름을
먼 미래로 넘긴 채

평생을 후회한 붉은 오늘을
외딴 저수지에 묻으니

저수지의 붉은 비밀은
영원한 비밀이 되었다

볕의 온

이별에게는 무어라 말을 전해야할까

바닷물은 흘러내려 싹이 되었고
칠흑의 배경은 생명의 온기를 지워낸다

더위와 태양은 우리를 사랑하여
무미건조한 마음을 데워냈다

너는
그리도 작은 그릇에 여름의 향기를 움푹이 담아냈다

까슬한 해바라기가 부드러운 손끝에 닿아
흐드러진 이파리를 꺾어
물러가는 해바라기 잎으로 차를 태워 마신다

기름을 들이켜 마신 듯
폐에는 뜨거운 숨결로 가득차고
차갑게 데워진 공기가 요동친다
목구멍을 타고 내려가는 기분 나쁜 꺼슬함은 구역감을 토해냈다

모종의 한 꽃밭, 그 위에 비좁게 서있는 작은 오두막

내가 가장 사랑하는 나의 공간

시꺼먼 하늘과
이상하리만큼 푸르른 초원

일그러진 언덕을 짓밟고 올라
하늘에서 담아 온 새까만 물을 들이붓자
곱슬진 머리에 뜨거운 향이 감겨간다

들꽃이 품어낸 서늘함은 나를 한 곳에 고이게 만들었고

너는
한 없이 흘러내렸다

사계의 선원

새하얀 입김에 답하듯
부엉이가 울어댔다

부엉 부엉 소리가 울리면
차가운 들판이 겨울을 알리고

외로운 공기와
드넓은 초원에서
나 홀로 손님인 것이 외로워
움츠러 도망쳤다

얼어붙은 세상을 긍정하며
홀로 서기를 시작하니
비로소 알게 되었다

빛줄기 하나 없는 밤에
돌담 사이 긁혀진 바람이
예쁘게 피어나 사랑을 시작했다

그리하여 피어났다

해바라기

그대만을 바라봤던 노란잎의 해바라기는
시들어버린 마음에
바람 따위에 흔들리고
더위 따위에 녹아버리는
억센 국화 따위가 되어버렸네요

열렬하게 사랑하던 마음들은
비꼬아 사라져버리고
격식 따위에 둘러싸인 마음은
가루가 되어
그들의 뒷걸음을 따라 걷네요

제 2장 꿈의 향기

울의 만남

얼어붙은 물가를 바라보니
검붉은 홍조를 띈 어여쁜 아이가 비춰보였다

놀란 듯 뒷걸음치던 넌
바보 같은 웃음을 지어보였고
나에게 예쁜 꽃 한 송이를 심어 주었다

푸르스름한 눈에 윤기나는 검은 머리카락을 가지고 있던 너는
깊은 설렘을 심어주었다

한 여름날의 기록

나는 너를 보며 피어있는다
물이 끈적이 적셔버린 하루는 적응이 되지 않고

허연 눈이 내려 시야에 막을 내리면
세상의 존재가 부정 당한다

그 비좁은 틈 사이를 밀어붙여
짐승이 타일을 쭉 밀고 멈추지 않았을 때엔
함께 붕 뜨고 축 쳐졌다

애써 무시하던 그 감정을
본질을 위하여 싸게 노려보았다

에피타이저

악을 넘어 치는 울음은
바람이 불게하고 그 깊이 속에 잠기게 한다

목을 넘기면 나는 쓴 맛이 네가 남긴 향이라며
잊을 수는 없게 된 날씨에 나는 무어라 답을 남겨야 하는가

그 불운한 징조에 답을 남기니
네가 삼켜버린 것은 불운인지 무언의 사랑인지

찢어지고 갈망하는 돌을 다듬고

자욱한 사랑의 정답이
살살 떨려오는 바람이
그대가 건넨 여울이

전부
허망이라면

정녕 꿈이었다면

열경

여름의 향에 이끌려 바다로 향했을 때
너는 푸른 향이 한 웅큼 베어있었다

너는 실없는 미소를 지으며
바다가 잠궈버린 추억을 주워담고 있었다

모래알 사이사이 흩뿌려진

그 끝 없는 자갈들

곱디 고운 손길로 찾아낸
터진 마음

더움이 꺼지고
바람의 방문이 디딘 발 끝에서

땅은 둥글게 꺼지며
더운 바람이 돌아 잠겼다

아카시아

흑백의 아카시아가
향 없는 꽃말을 남겨냈다면
어떠신가요

시린 어둠에 휘말려
찬 바람을 밀어내고
망가져 보잘 것 없는 명예를 주워 담고

새하얀 이파리에 담긴
흑백의 고귀함은
순수한 사랑을 전해내고
쓴맛 나는 단 냄새를 풍겨냅니다

짓눌린 마음

이야기에 흐름에 따라
저승길을 밟아간다

열병 따위에 잠긴 얼굴의 낯빛은
타올라 사라져버렸다

유자향이 이루는
하늘의 교차로가
펴지고 펴져
어수선한 자리를 펴내간다

운결

화창한 밤하늘에 그들이 전한 말은
바람이 전하고 하늘이 전하고 파도가 전한다

돛이 흐르고 동동 뜨는 가을밤 사이의 울림이
가슴에 박히고 떠나자
집어 삼킬 듯 요동친 파도는 멈췄다

끝없이 퍼나르던 어둠은 한참을 허우적대다
끝내 떨어져 나갔다

데이지

울렁이는 계절의 떨림
전해지는 진동의 향이
결백 따위에 무너진다

이만하려 하였던 모든 사랑은
데이지의 향으로 덮어버리고
꽃말 따위가 전하는 사랑은
남겨 덮어버린다

얽매인 사랑을 풀어헤치려
끝없이 도려내고
결국 돌아오지 못한
마지막 마디는
그 자리에 맴도는 것을

기계음

거짓말의 세계를 도려냈다

비닐봉지 따위로 감싸 거짓 된 감정을
도려내고 도려냈다

유영하는 수돗물에 갇힌
어항의 구조는
단순했다

허우적대던 그 모습은
모두 허영 된 모습이었다

허들

비극에 잡혀 버린
사탕수수의 단 냄새

손끝의 감각이 무뎌지고
내내 뜨겁게 달궈버린 쇠붙이는
버림받고야 만다

시대가 바뀌는 교차점처럼
그 안에 갇힌 감정처럼

불가능한 변화를 꿈꾼다

인조 공원

유아기의 어린이들이 그려낸 그림조각들을
벽붙이 이곳저곳에 발라두었다

어지럽게 칠해진 짙은 색들과
다채로운 선의 형태가
장소를 창조하고
일궈낸다

이 아리따운 세계에 섞여들기 위하여
사랑을 바라고
영원을 소원한다

나팔꽃

바다를 담은 박물관에 들어갔을 때
너덜너덜 찢어진 조각상을 마주했다

조각가들은 부패한 조각상을 둘러싸
녹인 석고를 꿰어내고 있었다

시절을 바라보는 조각가들은
터져버린 전구에도 좌절하지 않았고
백합을 푸르게 칠하여 갈라진 틈 사이사이 곧게 집어넣었다

붉은
꽃꽂이였다

제 3장 빛의 기록

작두별

총애하던 너의 모습을
담궜다

저 아래 깊은 낭떠러지로
깊게
깊게
떠나보냈다

조그만 열기를 담아
원기를 올려
담을 쌓아
떠나보냈다

열대야

더위에 무딘
태양에게 건낸
양갈래 소녀의 미소

붉은 홍단을 만들어
황금비를 내리게 한다

무더위를 위한
여름 공연

방음이 되지 않는 계절

머리칼에 피어난 꽃

경멸하는
고동의 꿈

해바라기의 사랑

시대의 주인공
파도를 타는
부실한 바윗배

장식 된 기념일
녹아가는
광고지

뜨겁고
잔잔하던
파도

따라울려
영원한다

유인 오작교

축적 된 바람과
까치가 만들어둔 오작교에 발을 딛는다

낡은 의자 위 걸린
포도송이처럼

어두운 추위에 잠긴
너에게 찾아간다

붉은 시각으로 가려진
너의 모습을 위하여

어둠에 가려진
너의 방면을 위하여

순간을
기대한다

유기

저 멀리 밀려나버린 너의 모습은
그리도 처량하였다

울망이던 너의 손자락은
빛바랜 종이 같았다

향긋한 길을 위해
찢어진 종이를 버렸다

너를 위하여
나를 버리고

나를 위하여
너를 밀었다

서울 상경

긁어모은 금가루의
풍경의 연민

탁한 연기바람을 감싸는
끊어진 담뱃재

전시회의 걸작과
초저녁의 임종

얼룩진 순간은
종자 속 화단이었다

무딘 열기

무너진 나의 꿈 속 주인공은 항상 너였다
나의 불가항력으로 만들어낸 너는
항상 아름다웠다

그 때의 네 아름다움은
무엇 하나 너를 대신할 말이 없었다
너는 영원히 시들지 않았다

그 하나의 불빛만이 비추는
하얀 낙원이었다

원흉

그 연가에서
질퍽한 온기를 느꼈다

영원에 잠기고
벌레의 잔해를 삼켰다

어둠으로 물들어버린 하늘과
그 하늘을 담은 우주

역설의 옛 사랑이 나를 반겨냈다
수면의 제약성을
알게 된 순간은
거뭇한 밤길이었다

영원이라는 존재와
기대 찬 경멸의 눈빛

멸시 가득한 시린 바람을
시대의 주인공을
쏘아 비춘다
휘양 찬란한 밤길
덤불에 걸려엉킨
은행잎

농장의 것

애적한 마음
끝물의 단맛을 빼내었다

녹음이 우거진
돌부리 건너는 꽃가마 위
작은 소녀

농부는 떠나고
소녀만 남았다

남은 소녀는
길을 펴내고

영을 따라
별을 쬔다

경우의 삶

너울 좋게 삶을 흘리고
흉진 마음은 상처를 일궈간다

그 거룩한 예언을
멀리 밀어낸다

계절 내내 흘러간 기운으로
흔들리는 꽃내를 일군다

사계의 끝맺음을
엮어진 실로 일군다

더보기

1

(　　)에게는 무어라 말을 전해야할까

바닷물은 흘러내려 싹이 되었고
칠흑의 배경은 생명의 온기를 지워낸다

(　　)와 태양은 우리를 사랑하여
무미건조한 마음을 (　　)냈다

너는
그리도 작은 그릇에 여름의 향기를 (　　)이 담아냈다

까슬한 해바라기가 부드러운 손끝에 닿아
흐드러진 이파리를 꺾어
물러가는 해바라기 잎으로 차를 태워 마신다

기름을 들이켜 마신 듯
( )에는 뜨거운 숨결로 가득차고
차갑게 데워진 공기가 요동친다
목구멍을 타고 내려가는 기분 나쁜 (　　)은 (　　)을 토해냈다

(1)	그리도 작은 그릇에 여름의 향 기를 움푹이 담아냈다 까슬한 해바라기가 부드러운 손끝에 닿아 흐드러진 이파리를 꺾어 물러가는 해바라기 잎으로 차 를 태워 마신다 기름을 들이켜 마신 듯 폐에는 뜨거운 숨결로 가득차 고
차갑게 데워진 공기가 요동친 다 목구멍을 타고 내려가는 기분 나쁜 꺼슬함은 구역감을 토해 냈다 모종의 한 꽃밭, 그 위에 비좁 게 서있는 작은 오두막 내가 가장 사랑하는 나의 공간 시꺼먼 하늘과 이상하리만큼 푸르른 초원	(4)

2

(　　)의 한 (　　), 그 위에 비좁게 서있는 작은 오두막
내가 가장 사랑하는 나의 공간
시꺼먼 하늘과
이상하리만큼 푸르른 초원

일그러진 (　　)을 짓밟고 올라
하늘에서 담아 온 새까만 물을 들이붓자
곱슬진 머리에 뜨거운 향이 감겨간다

(　　)이 품어낸 서늘함은 나를 한 곳에 (　　) 만들었고

너는
한 없이 흘러내렸다

이별에게는 무어라 말을 전해야할까 바닷물은 흘러내려 싹이 되었고 칠흑의 배경은 생명의 온기를 지워낸다 더위와 태양은 우리를 사랑하여 무미건조한 마음을 데워냈다 너는	(2)
(3)	일그러진 언덕을 짓밟고 올라 하늘에서 담아 온 새까만 물을 들이붓자 곱슬진 머리에 뜨거운 향이 감겨간다 들꽃이 품어낸 서늘함은 나를 한 곳에 고이게 만들었고 너는 한 없이 흘러내렸다

3

나의 첫 번째 엮음, 꽃이 피는 시간 마침.

이별에게는 무어라 말을 전해야할까

바닷물은 흘러내려 싹이 되었고
칠흑의 배경은 생명의 온기를 지워낸다

더위와 태양은 우리를 사랑하여
무미건조한 마음을 데워냈다
너는

그리도 작은 그릇에 여름의 향기를 움푹이 담아냈다

까슬한 해바라기가 부드러운 손끝에 닿아
흐드러진 이파리를 꺾어
물러가는 해바라기 잎으로 차를 태워 마신다

기름을 들이켜 마신 듯
폐에는 뜨거운 숨결로 가득차고

차갑게 데워진 공기가 요동친다
목구멍을 타고 내려가는 기분
나쁜 꺼슬함은 구역감을 토해냈다

모종의 한 꽃밭, 그 위에 비좁게 서있는 작은 오두막
내가 가장 사랑하는 나의 공간

시꺼먼 하늘과
이상하리만큼 푸르른 초원

일그러진 언덕을 짓밟고 올라
하늘에서 담아 온 새까만 물을 들이붓자
곱슬진 머리에 뜨거운 향이 감겨간다

들꽃이 품어낸 서늘함은 나를 한 곳에 고이게 만들었고

너는
한 없이 흘러내렸다

꽃이 피는 시간

발 행 | 2023년 1월 25일

저 자 | 차정은

펴낸이 | 한건희

펴낸곳 | 주식회사 부크크

출판사등록 | 2014.07.15.(제2014-16호)

주 소 | 서울특별시 금천구 가산디지털1로 119 SK트윈타워 A동 305호

전 화 | 1670-8316

이메일 | info@bookk.co.kr

ISBN | 979-11-410-1284-7

www.bookk.co.kr